À C.E. Stevens

Traduit de l'américain par Isabelle Reinharez

ISBN 978-2-211-21006-5
© 2013, l'école des loisirs, Paris, pour la présente édition
dans la collection « Kilimax »
© 1984, l'école des loisirs, Paris, pour l'édition en langue française
© 1983, Chris Van Allsburg
Titre de l'édition originale : « The Wreck of the Zephyr »
(Houghton Mifflin Harcourt Publishing Company, Boston, 1983)
Loi numéro 49 956 du 16 juillet 1949 sur les publications
destinées à la jeunesse : mars 1984
Dépôt légal : juin 2013
Imprimé en France par Pollina à Luçon - L64038

Édition spéciale non commercialisée en librairie

Chris Van Allsburg

L'épave du *Zéphyr*

l'école des loisirs
11, rue de Sèvres, Paris 6e

Un jour, comme je me promenais le long de la côte, je me suis arrêté dans un petit village de pêcheurs. Après déjeuner, je décidai de faire une promenade. Je suivis un sentier qui sortait du village et s'élevait vers de hautes falaises surplombant la mer. Au bord de ces falaises, j'aperçus un tableau des plus insolites – l'épave d'un petit bateau à voiles.

Un vieil homme, assis parmi les membrures brisées, fumait la pipe. Il sembla lire dans mes pensées quand il déclara :

« Étrange, non ? »

« Oui », répondis-je. « Comment est-il arrivé jusqu'ici ? »

« Ce sont les vagues qui l'ont jeté là au cours d'une tempête. »

« Vraiment ? » m'étonnai-je. « On ne croirait pas que les vagues puissent jamais monter si haut. »

Le vieil homme sourit. « Eh bien, il y a une autre histoire. » Et il m'invita à m'asseoir et à écouter son étrange récit.

«Dans notre village, il y a bien des années», commença-t-il, «vivait un garçon qui naviguait mieux encore que n'importe quel marin d'ici. Il savait trouver un souffle de vent sur la mer la plus étale. Quand des nuages noirs retenaient les autres bateaux à l'ancre, le garçon quittait le port pour montrer aux villageois, et aussi à la mer, quel grand marin il était.

«Un matin, sous un ciel menaçant, il se prépara à sortir en mer avec son bateau, le *Zéphyr.* Un pêcheur lui déconseilla de quitter le port. Déjà soufflait un vent violent. “Je n’ai pas peur”, répondit le garçon, “je suis le plus grand marin qui soit.” Le pêcheur lui montra du doigt une mouette planant au-dessus de leurs têtes. “C’est le seul marin qui puisse sortir un jour comme aujourd’hui.” Le garçon se contenta de rire tout en hissant ses voiles dans la bourrasque.

«Le vent sifflait dans le gréement tandis que le *Zéphyr*, à grand-peine, avançait sur les flots. Le ciel s'obscurcit et les vagues devinrent hautes comme des montagnes. Le garçon luttait pour empêcher son bateau de chavirer. Soudain une rafale s'engouffra dans la voile. La bôme pivota et vint frapper la tête du garçon. Il s'effondra sur le plancher du cockpit et ne bougea plus.

« Quand le garçon ouvrit les yeux, il découvrit qu'il gisait sur une plage. Le *Zéphyr* se dressait derrière lui, loin de la grève, porté là par la tempête. Jamais la marée ne le ramènerait jusqu'à la mer. Le garçon partit chercher de l'aide.

« Il marcha longtemps et fut étonné de ne pas reconnaître le rivage. Il escalada une colline, dans l'espoir d'apercevoir un site familier, mais, au lieu de cela, il vit une étrange et incroyable chose. Devant ses yeux, deux bateaux voguaient très haut au-dessus de l'eau. Ébahi, il les regarda s'éloigner en planant. Puis un troisième apparut, remorquant le *Zéphyr*. Les bateaux pénétrèrent dans une baie que bordait un vaste village. Et là, ils laissèrent le *Zéphyr*.

«Le garçon descendit vers le port, jusqu'au quai où était amarré son bateau. Il croisa un marin qui lui adressa un sourire. "C'est le tien ?" demanda-t-il en désignant le *Zéphyr*. Le garçon fit signe que oui. Le marin dit qu'ils ne voyaient presque jamais d'étrangers sur leur île. Un dangereux récif la ceinturait. Le *Zéphyr* avait dû être porté au-delà par la tempête. Plus tard, annonça-t-il au garçon, on lui ferait repasser le récif avec son bateau. Mais le garçon déclara qu'il refusait de partir avant d'avoir appris à naviguer au-dessus des vagues. Le marin lui répondit qu'il fallait des années avant de savoir naviguer ainsi. "Et puis", ajouta-t-il, "le *Zéphyr* n'a pas les bonnes voiles." Le garçon insista. Il implora le marin.

« À la fin, le marin dit qu'il essaierait de lui apprendre si le garçon lui promettait de repartir le lendemain matin. Le garçon promit. Le marin entra dans une remise chercher un nouveau jeu de voiles.

« Tout l'après-midi, ils sillonnèrent la baie. Parfois le marin prenait la barre, et le bateau, comme par magie, commençait à s'élever au-dessus de l'eau. Mais quand le garçon essayait, il ne parvenait pas à prendre le vent qui faisait voler les bateaux.

« Quand le soleil descendit, ils rentrèrent au port. Ils jetèrent l'ancre et un pêcheur les ramena à terre dans sa barque. "Demain matin", déclara le marin, "nous remettrons ses voiles au *Zéphyr* et nous vous renverrons chez vous." Il emmena le garçon dans sa maison, et la femme du marin leur servit un ragoût d'huîtres.

« Après dîner, le marin joua du concertina. Il chanta une chanson qui racontait comment, autrefois, un homme nommé Samuel Blanc avait essayé de naviguer au-dessus des terres et s'était écrasé avec son bateau :

Car sur terre jamais le vent n'est permanent,
Et qui s'y aventure rejoindra Samuel Blanc.

« Quand il eut terminé sa chanson, le marin envoya le garçon au lit. Mais le garçon ne put trouver le sommeil. Il savait que, s'il essayait une dernière fois, il réussirait à faire voler son bateau. Il attendit que le marin et sa femme fussent endormis et, sans bruit, il s'habilla et se rendit au port. Tandis qu'il ramait vers le *Zéphyr*, le garçon sentit le vent léger du soir forcir et se rafraîchir.

«Sous la pleine lune, il sortit le *Zéphyr* dans la baie. Il essaya de se rappeler tous les conseils du marin. Il essaya de sentir la brise tirer son bateau en avant, le soulever. Et, soudain, le garçon sentit le *Zéphyr* se mettre à trembler. Le bruit de l'eau qui roulait sous la coque s'amplifia. L'air se chargea d'embruns tandis que le bateau fendait les vagues. Lentement, la proue commença à s'élever. De plus en plus haut, le *Zéphyr* s'élança hors des flots, puis, enfin, il les quitta. Le grondement de l'eau s'arrêta. On n'entendait plus que le murmure du vent dans les voiles. Le *Zéphyr* volait.

«Se guidant aux étoiles, le garçon fit route vers chez lui. Le vent soufflait très fort et balayait la mer. Mais peu importait au *Zéphyr* qui planait dans le ciel nocturne. Lorsque des nuages vinrent masquer les étoiles, le garçon orienta les voiles et monta plus haut. Sûr que les hommes de l'île n'avaient jamais osé voler si haut. Désormais, le garçon ne doutait plus d'être vraiment le meilleur marin du monde.

« Il navigua bien. Avant la fin de la nuit, en lisière de son village, il aperçut la flèche de l'église qui luisait sous la lune. Tandis qu'il approchait de la terre, une idée lui vint. Il allait passer au-dessus du village et agiter la cloche du *Zéphyr*. Ainsi tout le monde le verrait et saurait qu'il était le plus grand des marins. Il survola la côte et ses falaises plantées d'arbres, mais, quand il atteignit l'église, le *Zéphyr* commença à perdre de la hauteur.

« Le vent avait tourné. Le garçon tira aussi fort qu'il put sur le gouvernail, mais en vain. Le vent tourna encore. Le garçon fit voile vers la haute mer, mais, au bord de la falaise, les arbres lui barraient le passage. D'abord il n'y eut que le bruissement des feuilles qui effleuraient la coque. Puis l'air retentit du bruit des branches cassées et des voiles déchirées. Le bateau s'écrasa à terre. Où le voici encore aujourd'hui. »

« Belle histoire », constatai-je, tandis que l'homme se taisait pour rallumer sa pipe. « Et qu'arriva-t-il au garçon ? »

« Il se cassa une jambe, cette nuit-là. Bien sûr, personne ne crut à son histoire de bateaux volants. Il était plus facile de croire que la tempête l'avait emporté et rejeté jusqu'ici. » Le vieil homme rit.

« Non, monsieur, le garçon n'a jamais fait grand-chose. Les gens le crurent fou. Il s'occupa à de menus travaux au port. La plupart du temps, il était en mer pour chercher cette île et en rapporter un nouveau jeu de voiles. »

Une légère brise passa dans les branches. Le vieil homme leva la tête. « Le vent se lève », déclara-t-il. « Il faut que je sorte en mer. » Il ramassa sa canne et je le regardai descendre en boitillant vers le port.